CW00869618

Cielo de Risas

escrito e ilustrado por

Aldo Marquez

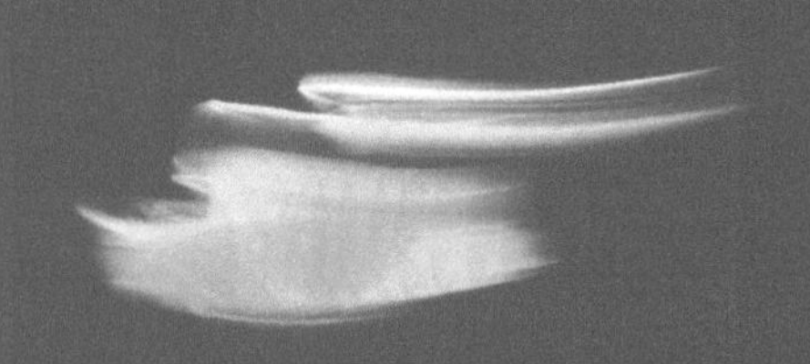

CIELO DE RISAS

For more information visit:
Aldo Marquez at www.aldomarkezofficial.com
Written and illustrated by Aldo Marquez
Big Treehouse Publishing

Big Treehouse Publishing

ISBN: 979-8-9866782-0-7 (paperback) ISBN: 979-8-9866782-1-4 (ebook)
Library of Congress Control Number: 2022914595
Printed in the United States of America
10 9 8 7 6 5 4 3 2 1
First Edition: August 2022

Un agradecimiento especial
para mi familia y amigos.

Nada de esto sería posible
sin su apoyo incondicional.

Para Josafat,

el niño mas alegre que conozco ...

y para el niño soñador
que todos llevamos dentro ...

Cielo de Risas

¿Listos?
Canten Conmigo

Una gota de tu imaginación
Hoy por ti ahora de acero soy

"Mira Papá" tu mirada gritó
Inundado de dicha por ti estoy

Sigue así; a punto estas de lograr
Con alas fuertes un día volarás

Apóyate en mí que yo te guiaré
Con gran orgullo contigo volaré

Fuertes tormentas atravesarás
Con las estrellas un poco reirás

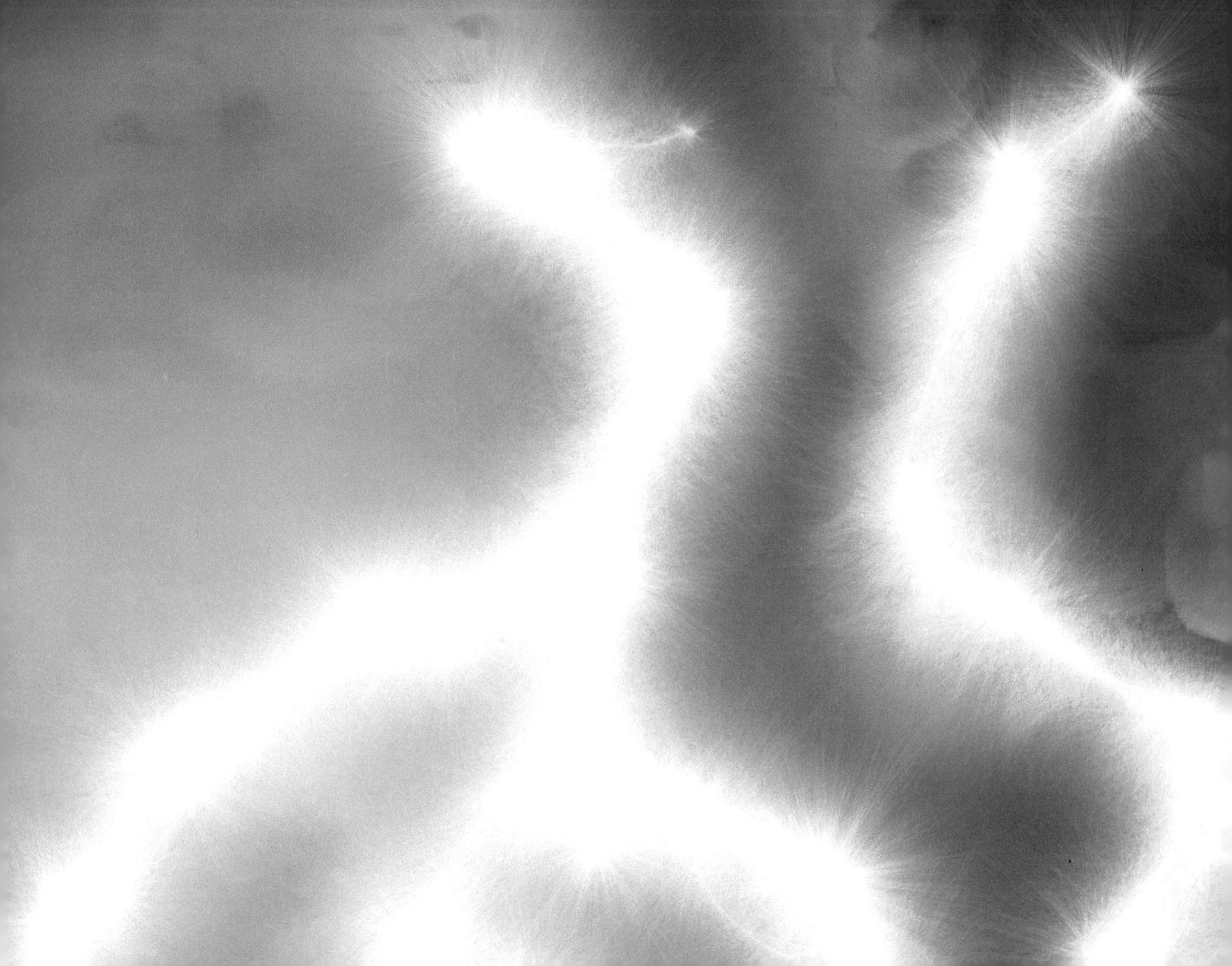

Entre ellas murmurarán
Del piloto y sus sueños

de siempre volar

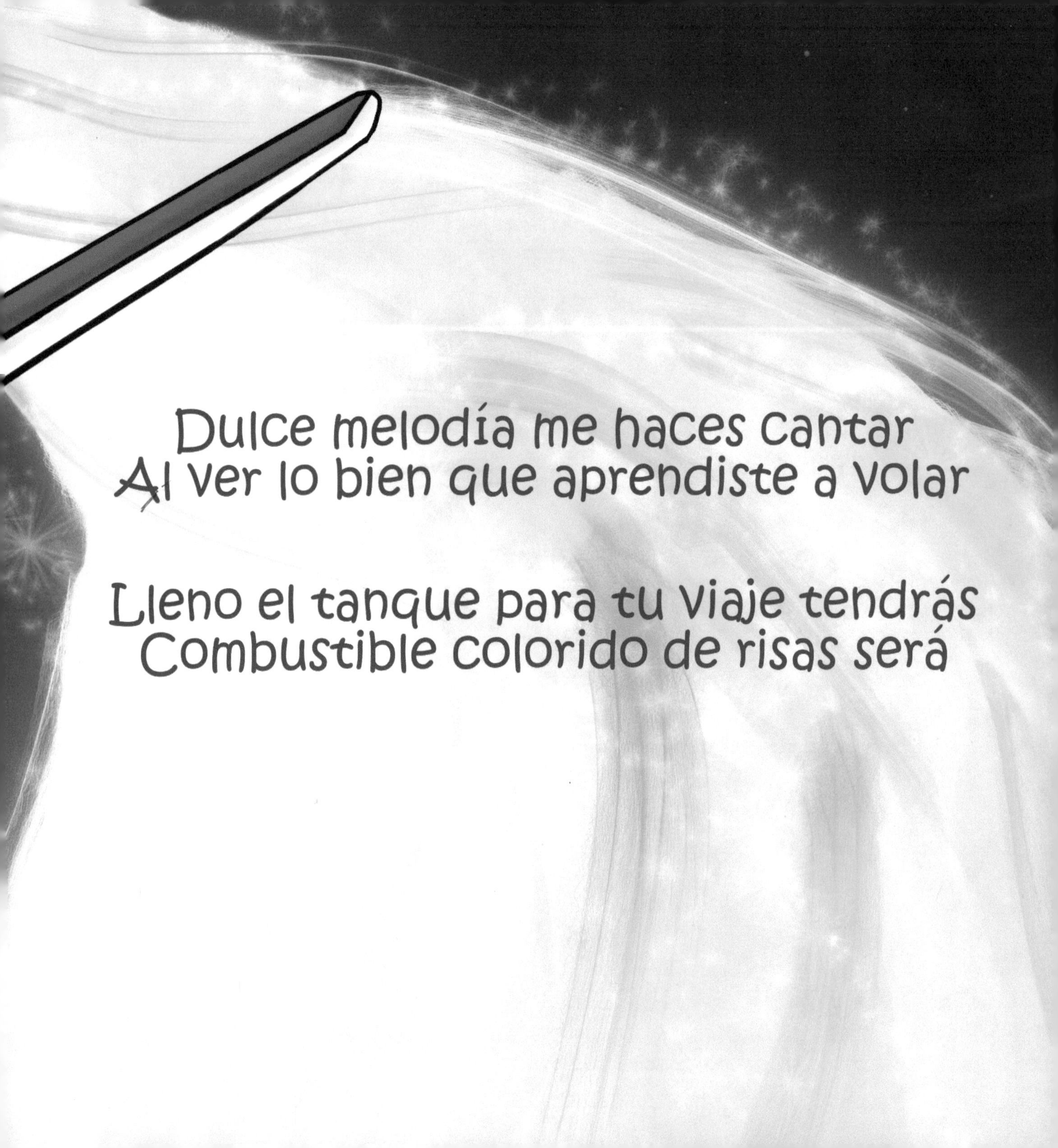

Dulce melodía me haces cantar
Al ver lo bien que aprendiste a volar

Lleno el tanque para tu viaje tendrás
Combustible colorido de risas será

Fuertes tormentas atravesarás
Con las estrellas un poco reirás

Entre ellas murmurarán
Del piloto y sus sueños

de siempre volar

Pa
Pa

pa
pa

Pa
Pa

pa
pa

Mil risas en las nubes pintarás
El cielo de alegría teñirás

Un paraíso las aves ellas tendrán
Con sus canciones tus vientos entonarán

Fuertes tormentas atravesarás
Con las estrellas un poco reirás

Entre ellas murmurarán
Del piloto y sus sueños
de siempre volar

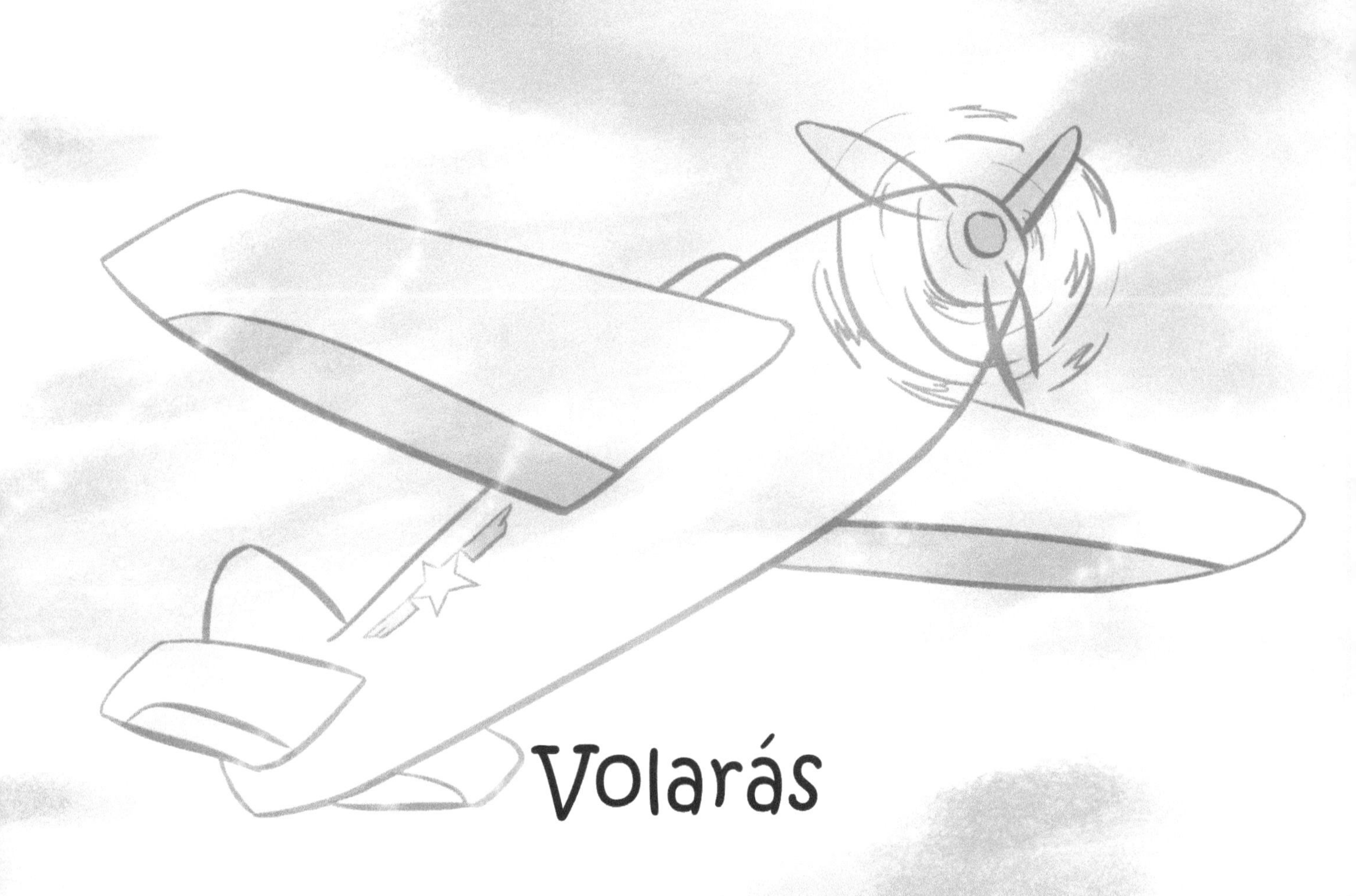

Volarás

De siempre volar

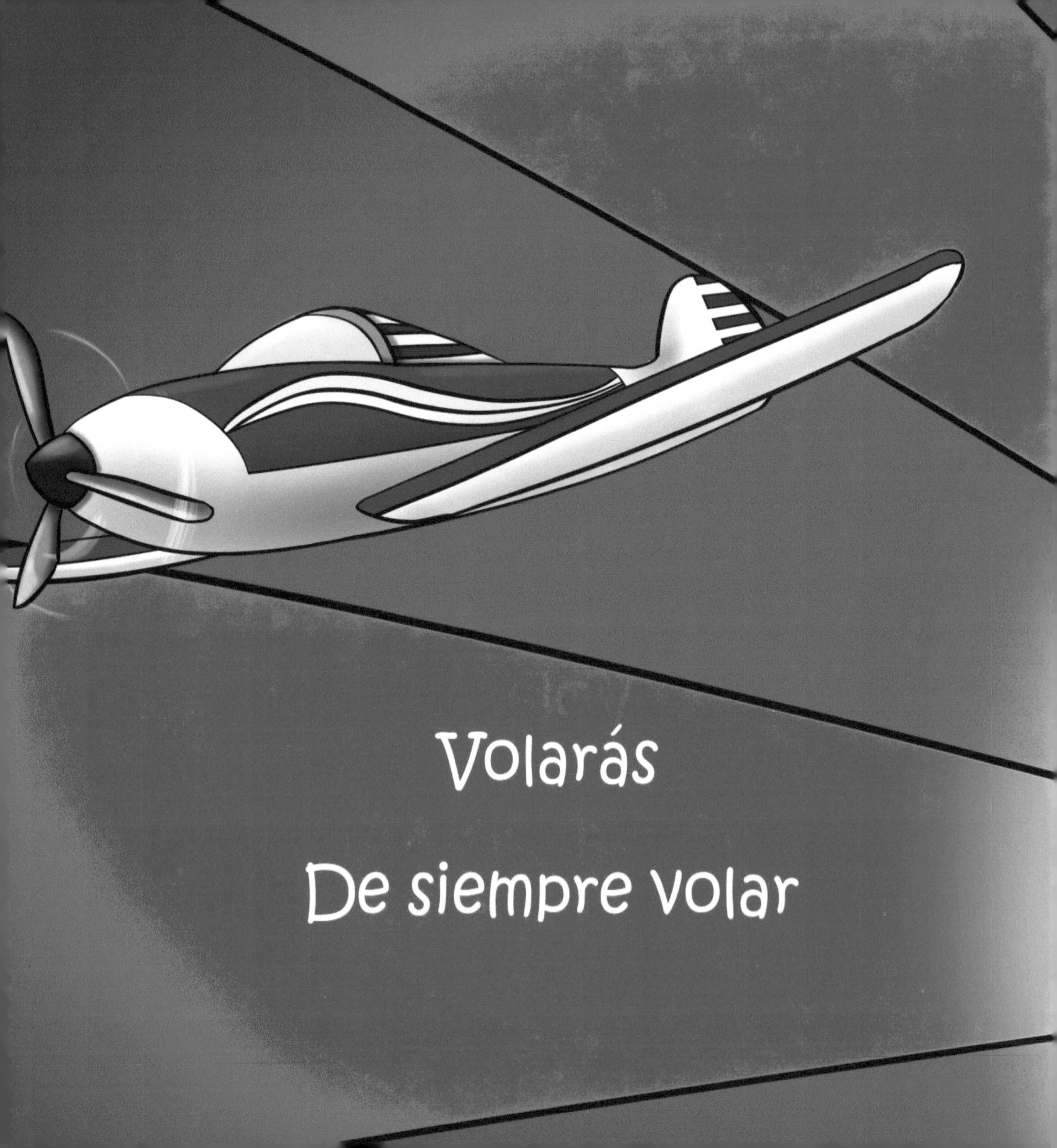
Volarás
De siempre volar

Volarás

De siempre volar

¡Tomemos una foto
antes de tu gran vuelo,
para el recuerdo!

¡Vuela Conmigo!

La inspiración

Todo empezó con un avión de madera;
de ahí nació un poema que después se
convirtió en una canción, y de esa melodía
cobró vida este libro. Espero haberte
provocado soñar más libremente
para que luches sin desistir, por aquello
que siempre quisiste. Y como este avión,
puedas convertirte en la mejor versión de ti ...

Sobre el Autor

Aldo Marquez es un compositor, poeta, carpintero, cantautor, ilustrador y autor originario de Eagle Pass, Texas. Con dos décadas de conocimiento y experiencia en la escena musical y creativa, ha comenzado a devolver a la comunidad y sus alrededores una muestra de lo que ha aprendido a lo largo de los años.

Para más información sobre el trayecto de Aldo Marquez síguelo en Instagram @aldomarkezofficial

Big Treehouse Publishing

www.aldomarkezofficial.com